D0532612

ECOLE PAUL-CHAGNON
5295, CHEMIN CHAMBLY
SAINT-HUBERT (TAILLON)

GUY
DE LA VIOLETTE

fondateur de Trois-Rivières

Données de catalogage avant publication (Canada)

Coté, Jean, 1927-

    Guy de La Violette: fondateur de Trois-Rivières

    Pour les adolescents.

    ISBN 2-7640-0007-3

    1. Laviolette, sieur de - Ouvrages pour la jeunesse. 2. Trois-Rivières (Québec) - Histoire - Ouvrages pour la jeunesse. 3. Canada - Histoire 1663-1713 (Nouvelle-France) - Ouvrages pour la jeunesse. I. Titre.

FC341.L39C67 1995   j971.4'014'092   C95-940565-8
F1030.C67 1995

LES ÉDITIONS QUEBECOR
7, chemin Bates
Bureau 100
Outremont (Québec)
H2V 1A6
Tél.: (514) 270-1746

© 1995, Les Éditions Quebecor
Dépôt légal, 2e trimestre 1995

Bibliothèque nationale du Québec
Bibliothèque nationale du Canada
ISBN: 2-7640-0007-3

Éditeur: Jacques Simard
Coordonnatrice à la production: Dianne Rioux
Conception de la page couverture: Bernard Langlois
Illustration de la page couverture: Caroline Merola
Révision: Sylvie Massariol
Correction d'épreuves: Claire Morasse
Infographie: Composition Monika, Québec
Impression: Imprimerie L'Éclaireur

Tous droits réservés. Aucune partie de ce livre ne peut être reproduite ou transmise sous aucune forme ou par quelque moyen électronique ou mécanique que ce soit, par photocopie, enregistrement ou par quelque forme d'entreposage d'information ou système de recouvrement, sans la permission écrite de l'éditeur.

GUY

DE LA VIOLETTE

fondateur de Trois-Rivières

Jean Coté

Les Éditions
Quebecor

Table des matières

Prologue

Le 25 décembre 1635, emporté par une paralysie générale, le «Père de la Nouvelle-France» s'éteignit doucement, après deux mois de souffrances. S'il savait que ses jours étaient comptés, Champlain ignorait toutefois que Richelieu lui avait déjà trouvé de son vivant un remplaçant en la personne de Charles Huault de Montmagny.

Après sa mort, durant une soixantaine d'années, le poste de Trois-Rivières joua un rôle capital dans le commerce de la traite des fourrures, grâce à son fondateur, Guy de La Violette.

Ruinée par les frères Kirke, la Compagnie des Cent-Associés ne put par la suite surmonter ses difficultés financières et se trouva dans l'impossibilité de payer ses commis et ses administrateurs. La Violette, l'un d'entre eux, fut rappelé en France.

Par la suite, les gouverneurs se succédèrent au fort de Trois-Rivières. Tout autour, malgré la menace iroquoise, les colons construisaient des maisons, élevaient des familles, peuplaient la colonie.

L'intendant Jean Talon aimait la région de Trois-Rivières; il avait toujours pensé que le sol de la Nouvelle-France recelait de nombreux métaux précieux, fer, cuivre, charbon, etc. Il se livra à une prospection soutenue. Ses essais ne furent pas toujours fructueux, mais ses nombreuses fouilles — Talon s'entêtait à envoyer des échantillons de minerai en France, pour fins d'analyse — donnèrent naissance aux forges de Trois-Rivières.

Très longtemps après le départ du sieur de La Violette, Trois-Rivières resta une plaque tournante du commerce des fourrures et un lieu de prédilection pour les Indiens qui y tenaient des conseils afin de décider de la guerre ou de la paix, et d'y signer des traités.

La naissance de Montréal, en 1642, le détournement du trafic de la traite vers le Saguenay, la prépondérance de Ville-Marie qui, peu à peu, devint un État dans un État, allait affaiblir la position commerciale du poste fondé par La Violette et le plonger dans une léthargie qui dura presque deux siècles.

L'exploitation de l'immense forêt de la Mauricie en 1852 vint fournir à Trois-Rivières une occasion unique de se classer comme le «premier centre papetier du monde».

Dotée d'un magnifique port naturel et d'équipements adéquats, la ville de Trois-Rivières témoigne d'une longue tradition française au cours de laquelle des hommes admirables, tels François Hertel, Pierre Boucher et tant d'autres héros méconnus, permirent à un simple poste de traite d'entrer par la grande porte dans notre histoire nationale.

Chapitre 1

Champlain, l'idole du jeune La Violette

Pendant que l'Angleterre mettait de l'avant une politique de peuplement en Amérique du Nord, la France se contentait d'y faire la traite et la pêche sans plan précis.

Aussi bien à l'intérieur de ses murs qu'à l'extérieur, l'Empire français ne parvenait pas à s'organiser économiquement. Bien sûr, ses villes portuaires s'ouvraient au commerce international, mais ses audaces se limitaient au Moyen-Orient et à l'Espagne. Il possédait vingt fois moins de navires, et de moindre tonnage, que la Hollande.

La France était pauvre, mais ses marchands s'enrichissaient avec les pêcheries de Terre-Neuve, le commerce des fourrures et celui très lucratif de la traite des esclaves aux Antilles.

Monnaie instable, paysannerie lourdement imposée, pouvoir d'achat du petit peuple à peu près nul, réseau routier inexistant, aristocratie oisive et ruineuse, marchands d'une rapacité inouïe, autant de facteurs qui laissaient la France en marge des grands projets de colonisation à long terme.

Le site de Québec, porte d'entrée du Saint-Laurent, constituait sans doute une formidable redoute contre les corsaires et autres écumeurs de mer. Mais comment la défendre avec une poignée d'hommes?

Champlain était fort conscient de sa vulnérabilité et de son incapacité à peupler décemment un royaume en gestation. Presque vingt et un ans après sa fondation, la capitale de la Nouvelle-France n'en menait pas large. Elle vivotait. Par de prodigieuses acrobaties et d'incessants voyages dans la métropole, pour réclamer de l'aide, Champlain la tenait à bout de bras. Et il avait même fallu qu'il se marie, lui célibataire endurci, irréductible, pour trouver l'argent nécessaire à la poursuite de son grand projet, sa femme lui apportant en dot un joli magot.

* * *

À l'époque où les jésuites lui apprenaient le grec, le latin, la géographie et les autres matières à connotation philosophique et religieuse, le jeune Guy de La Violette se passionnait pour la vie aventureuse de Samuel de Champlain dont les *Relations*, bulletin officiel de la Compagnie de Jésus, faisaient grand état.

Le jeune La Violette rêvait de le rencontrer, de lui parler, de satisfaire sa curiosité et de lui offrir ses services. Car dans l'aventure de Champlain, il y avait une dimension exaltante.

Le mariage du fondateur de Québec avec Hélène Boullé, fille de Marguerite Alix et de Nicolas Boullé, secrétaire de la Chambre du roi, lui fournit l'occasion de voir le grand homme. Le père du jeune La Violette cultivait une longue amitié avec Nicolas, son camarade de collège, un homme de bon commerce et de jugeote.

La mariée n'avait que douze ans, Champlain, quarante-trois, mais il était courant en France de contracter un mariage de raison, soit pour élargir son influence, soit pour consolider sa fortune.

Dans les circonstances, les initiés savaient que le baron de Poutrincourt à qui le sieur de Monts, à bout de ressources, avait cédé ses privilèges en Acadie, était intervenu auprès des Boullé et des notaires Nicolas Choquiollot et Louis d'Aragon pour arranger ce qu'il serait décent d'appeler une « transaction ».

Gentilhomme de la Chambre du roi, maître de camp ayant sous ses ordres plusieurs compagnies, marié à Jeanne Salazar qui lui avait apporté la baronnie de Saint-Just, Poutrincourt se disait favorisé d'avoir eu trois garçons, soit Jean de Biencourt, Charles de Saint-Just et Jacques de Salazar.

À la Chambre du roi, le baron croisait souvent Nicolas Boullé et les deux hommes — amis du père Pierre Biard — s'échangeaient de nombreux services.

Pour s'en tenir aux exigences de son contrat et conserver ses privilèges en Acadie, Poutrincourt avait l'obligation de transporter des colons à Port-Royal et de commencer le peuplement. Pour ce faire, il comptait vivement sur les conseils de Champlain, un vieux routier de la Nouvelle-France. Son fils, Jean de Biencourt, se trouvait à Port-Royal en 1608, l'année où Champlain fonda Québec.

En l'église Saint-Germain l'Auxerrois, paroisse des Boullé, Champlain célébra donc ses fiançailles et, le lendemain, son mariage.

La mariée comprit peu de chose à toutes ces tractations et à une union qui liait son existence à celle du sieur Champlain, un homme impressionnant qu'elle ne reverrait pas avant plusieurs années. Elle apportait en dot à son mari plusieurs milliers de livres tournois, de quoi permettre à Champlain de soutenir financièrement son établissement de Québec.

Lors de ses séjours en France, invité aux meilleures tables et dans les plus grandes maisons, Champlain ne manquait pas de vanter les charmes de la mystérieuse Amérique et, en éloquent et ardent propagandiste, il savait captiver ses auditoires.

Comme il repartait au lendemain de son mariage hâtif, Guy de La Violette aborda résolument le fondateur de Québec.

Âgé de seize ans, plutôt réservé, petit mais bien fait, le visage ouvert et le geste courtois, Guy de La Violette appartenait à une famille de gens de robe et de militaires. Son ancêtre avait été au service d'Aymar de Chaste, chevalier de Malte, grand maître de l'Ordre de Saint-Lazare, ambassadeur en Angleterre, gouverneur de Dieppe, le plus honnête homme de France, répétait-on. Henri IV n'avait donc pas hésité à lui confier le mandat de poursuivre l'aventure en

Nouvelle-France, d'en voir les possibilités et d'en tirer le meilleur parti.

Ce personnage estimable, désintéressé, charitable et peu avare de ses deniers, mourut dans le dénuement le plus complet, si bien que le cardinal Joyeuse, archevêque de Rouen, dut assumer les frais de ses funérailles.

Doué d'une vive intelligence, d'une curiosité sans borne pour Champlain et son œuvre en Nouvelle-France, La Violette sut capter par son enthousiasme l'attention du fondateur de Québec à la recherche de jeunes recrues. Mais Champlain, à ce voyage en France, avait d'autres préoccupations que d'éblouir un jeunet par le récit des prouesses des coureurs des bois. Lui, un fervent catholique, venait d'épouser une protestante pour renflouer ses affaires, union pour le moins incompatible avec ses propres convictions religieuses. Enfin, à son contact, il espérait vivement que sa femme, chemin faisant, découvrît les grâces de la conversion.

Pis encore, son protecteur, Henri IV, le Vert Galant, venait d'être assassiné par Jean-François Ravaillac, le géant roux d'Angoulême. On parlait beaucoup en France de ce meurtre sauvage.

Attablé un soir dans une auberge et cuvant son vin dans la morosité, Ravaillac avait aperçu un couteau oublié sur une table. Sous les reflets d'une lanterne, la lame scintilla d'un étrange feu. Ravaillac crut y voir un signal, un irrésistible appel. Il s'empara de l'arme et la glissa dans sa poche, une idée folle pénétrant son esprit malade. Une puissance supérieure lui commandait de débarrasser la France d'un tyran.

Il était passé à l'action à son heure. Le carrosse du roi avançait doucement. Le cocher tentait de se frayer un chemin dans le flot humain, cavalcade de pauvres gens qui longeaient les murs puisque le centre de la rue était réservé aux seigneurs.

Vêtu d'un pourpoint* vert, l'assassin bondit sur le marchepied à un tournant. Sa main armée du couteau s'abattit à trois reprises sur le thorax du roi. La lame, qui avait pénétré entre deux côtes, sectionna l'artère pulmonaire et provoqua une hémorragie dans la cage thoracique. Henri IV mourut sur le coup, le sang ruisselant de sa bouche.

«Une bien mauvaise affaire!» pensait Champlain. La mort de son puissant protec-

---

* Partie du vêtement masculin de l'époque qui couvrait le torse jusque sous la ceinture.

teur pouvait remettre en cause son commandement à Québec.

Tant qu'il ne se remettrait pas solidement en selle, qu'il n'obtiendrait pas la confirmation que son mandat lui serait renouvelé, il était bien inutile d'exciter l'imagination de jeunes gens qui, tel La Violette, rêvaient de courir les routes de l'eau et d'escalader les montagnes du Nouveau Monde.

Champlain eut donc des propos appropriés. Il prêcha la patience, une longue préparation. La carrière militaire aplanissait nombre de difficultés et ouvrait la porte à bien des ambitions, soutenait-il. En ce siècle de grandes découvertes, tout était possible.

Des années plus tard, sur la recommandation de Champlain et du président Jeannin, commissaire retraité de la marine royale, Guy de La Violette put s'embarquer pour le mystérieux Canada de Champlain, à titre d'officier militaire et d'administrateur pour la Compagnie des Cent-Associés, fondée par le puissant cardinal Richelieu.

Chapitre 2

Champlain est chassé de Québec par les Anglais

Les choses allaient vraiment mal à Québec. Il y avait de nombreux litiges entre la colonie et plusieurs peuples indiens, dont les Montagnais et les Algonquins qui s'étaient engagés dans une lutte à finir pour le contrôle des réseaux de la traite.

De leur côté, les Hurons cherchaient à protéger leur situation privilégiée auprès des Français. Les Iroquois, eux, bloquaient les artères commerciales et, lors d'un raid, ils avaient incendié un village construit à Trois-Rivières par les Montagnais et les Algonquins.

Champlain tergiversait, coincé par une série d'événements qui mettaient en péril presque tous ses projets. Le conflit entre la

France et l'Angleterre arrivait à un bien mauvais moment et pouvait compromettre pour longtemps le développement de la Nouvelle-France.

Les jésuites intriguaient auprès du tout-puissant cardinal Richelieu pour que la Compagnie de Caen perde tous ses droits en Amérique du Nord. Elle serait remplacée dans de brefs délais par une société nouvelle. Ce changement mettrait un frein aux ambitions des huguenots* en Amérique.

La Nouvelle-France devait être catholique. Le cardinal n'avait pas tardé à souscrire au vœu des jésuites en fondant la Compagnie des Cent-Associés, nantie d'un important capital au départ.

Mais remplacer une compagnie par une autre ne dispersait nullement les nuages noirs qui s'amoncelaient au-dessus de la colonie.

*   *   *

Batiscan, le chef algonquin de la région de Trois-Rivières, se plaignait du comportement de Champlain.

---

*   Protestants.

— Tu joues nos ennemis contre nous, reprochait-il au fondateur de Québec. Un jour, tes cadeaux ne pourront plus panser nos plaies. Tu devrais relâcher le prisonnier montagnais que tu gardes au cachot.

— Mais il a tué deux Français !

— Tu n'as que des soupçons. Si tu t'obstines à le garder, tes alliés ne te fourniront plus de nourriture.

— Et à qui la vendront-ils ? demandait Champlain aussi têtu qu'un mulet.

— À tes ennemis, les Anglais qui naviguent sur le fleuve et font maintenant du commerce avec les Algonquins.

Champlain devait se rendre à l'évidence. Les Anglais cédaient des fusils aux Indiens et fournissaient de l'eau-de-vie aux Montagnais, qui en raffolaient.

— Je m'inquiète de l'avenir, mon frère, dit Batiscan en hochant la tête. Libère ton prisonnier avant que tu ne sois pris au piège de la faim. Tu auras les Anglais sur les bras, et les Montagnais ensuite.

Champlain assortit la libération du prisonnier de conditions inacceptables, entre autres, dire son mot dans le choix des chefs indiens.

C'était absurde. Dans son esprit étroit, Champlain s'imaginait transformer les Autochtones en authentiques Français et exercer un pouvoir discrétionnaire en s'immisçant dans leurs affaires internes et en réglementant leur vie politique et culturelle.

* * *

Champlain espérait du secours de la France pour l'aider à se sortir de cette situation pénible. Chaque jour, il regardait à l'horizon espérant apercevoir les voiles des bateaux de ravitaillement qui n'arrivaient toujours pas.

— Ces secours sont indispensables à notre survie, disait-il inquiet au sieur de La Violette, alors officier militaire au service des Cent-Associés et arrivé à Québec un an plus tôt.

— Ne désespérez pas, Monsieur. J'ai la certitude que la flotte est en route. Et à moins d'une malchance inouïe, elle sera bientôt dans le port de Québec.

En effet, sous la direction de Claude Roquemont de Brison, les quatre navires affrétés par les Cent-Associés, qui avaient à leur bord quatre cents colons, des marchandises et des victuailles, faisaient route vers Québec.

— Vous me rassurez, Monsieur La Violette. Si la flotte n'arrive pas, nous passerons un bien maigre hiver. Ce sera la disette, se plaignait Champlain, sachant que les Montagnais se vengeraient si le prisonnier, déjà malade, mourait dans son cachot.

Et il y avait les Anglais qui se livraient à un commerce intensif dans la vallée du Saint-Laurent au nez et à la barbe des Français. En plus, ils débauchaient les Indiens, leur vendaient de l'eau-de-vie et des fusils. Ils sabraient dans les prix et désorganisaient le trafic de la traite au point que les Hurons, devant la possibilité de perdre leur rôle d'intermédiaires, menaçaient Champlain de passer dans le camp adverse. Les Anglais avaient peut-être des marchandises de moins bonne qualité, mais ils payaient davantage.

— Tout s'arrangera, disait La Violette, encourageant. Ne désespérez pas, Monsieur le gouverneur. La flotte sera bientôt en nos murs.

L'officier militaire au service des Cent-Associés priait pour que tout se passe bien, surtout que Champlain lui parlait souvent d'ouvrir un nouveau poste à Trois-Rivières, dont il serait le commandant.

* * *

Les frères Kirke, Gervase, Thomas et David, naviguaient sans encombre sur le Saint-Laurent, grâce à Jacques Michel, l'ex-pilote de Champlain qui ne cachait pas son animosité contre les jésuites.

— Ils sont bien plus intéressés à commercer les peaux de castor qu'à sauver des âmes païennes, disait-il à ses employeurs.

L'opportuniste Gervase Kirke, qui avait eu dans le passé de bonnes relations d'affaires avec la Compagnie de Caen et avait longtemps vécu en France, trouvait l'occasion sans pareille de tirer son épingle du jeu grâce au conflit entre la France et l'Angleterre.

Il obtint une commission de Charles Ier, roi d'Angleterre, qui l'autorisait à piller les établissements français, à s'en emparer si possible, et à s'y maintenir par la force.

Les frères Kirke ne firent qu'une bouchée de Tadoussac. Ils s'y installèrent et patrouillèrent l'entrée du golfe pour intercepter les navires français en route vers Québec. Ils surprirent la flotte de Claude Roquemont de Brison et ouvrirent le feu. Les canons crachèrent la mitraille durant plus de huit heures. Roquemont de Brison se rendit, ses navires marchands n'étant pas équipés pour sortir victorieux d'une attaque navale.

Les marchandises, évaluées à 400 000 livres, changèrent de main. Soit par vengeance, soit parce que la tutelle des Français leur semblait trop pesante, les Montagnais se gardèrent bien de prévenir Champlain que les Anglais étaient dans les parages.

Les Indiens n'aimaient ni les Français ni les Anglais ni les Hollandais, mais ils avaient pris goût aux marchandises européennes, aux haches, aux couteaux, aux chaudrons, aux couvertures et à certaines babioles qu'ils échangeaient contre des peaux.

Tessouat, le chef des Algonquins, conscient de l'exploitation de son peuple, n'avait pas caché le fond de sa pensée à Champlain.

— Nous restons étrangers à vos coutumes, mais nous apprécions vos produits.

Une fois les Anglais dans les murs de Québec, Champlain fit de son mieux pour négocier avec les frères Kirke une reddition honorable, invoquant que le conflit était terminé entre la France et l'Angleterre.

Gervase Kirke ne le crut pas.

— Je vous demande seulement la reddition de Québec*.

— Très bien, je n'ai pas d'autre choix. Mais vous commettez un acte de piraterie.

— Sornettes que tout cela, Monsieur le gouverneur. Demain, le drapeau de l'Angleterre flottera sur Québec.

Agissant au nom de la *Company of Adventurers of Canada***, les Kirke ne voulaient rien entendre. Ils s'étaient emparés des postes de Miscou et de Tadoussac et entendaient les garder par la force. Ils avaient bel et bien commis un acte de piraterie, mais ils comptaient sur les mauvaises communications pour rester à Québec le plus longtemps possible et profiter de la traite.

— Les négociations prendront tellement de temps, expliquait Gervase à ses compagnons, que nous aurons merveilleusement tiré profit de la situation.

Avec une garnison de quatre-vingts hommes et la possibilité de piller de nombreux autres navires français, il y avait de belles perspectives d'enrichissement pour les frè-

---

*   Québec fut rendue à la France en 1632 par le traité de Saint-Germain-en-Laye.
** Compagnie des aventuriers du Canada.

res Kirke, d'autant plus que les interprètes, Étienne Brûlé, Nicolas Marsolet, interprète chez les Montagnais, Jean Richer, interprète chez les Algonquins, et plusieurs autres coureurs des bois acceptaient de collaborer avec les Anglais. D'autres, tels Jean Nicolet, interprète chez les Népissingues, ou Thomas Godefroy de Normanville, refusèrent toute collaboration et se réfugièrent dans les villages indiens, optant pour la loyauté envers leur pays.

L'hiver 1628-1629 fut infernal... un calvaire pour les colons dépourvus de tout. Champlain s'ingénia à trouver de la nourriture pour apaiser la faim de ses concitoyens, mais les Indiens lui tenaient rigueur de son manque de souplesse et ne livrèrent que très peu de victuailles.

Québec était en pleine crise, et les affres de la faim se faisaient cruellement sentir.

Loin de partager les surplus comme ils auraient dû le faire normalement, les plus riches refusaient de céder quoi que ce soit, augmentant par leur égoïsme l'humiliation subie par Champlain en butte a une réaction générale d'hostilité.

Le peu de considération que les colons lui témoignaient à un moment de pareille désolation affligeait Guy de La Violette.

Pour nourrir son monde, Champlain envoya à Trois-Rivières le triste chef montagnais Chomina — un vieil ivrogne qu'il protégeait et cherchait à imposer aux autres chefs de la vallée du Saint-Laurent — avec le mandat de rapporter du maïs, mais celui-ci revint bredouille du voyage. Cet échec ajouta au désarroi de Champlain.

Chomina était suprêmement détesté par les autres chefs indiens, mais Champlain s'obstinait à lui conserver ses faveurs.

Enfin, l'hiver s'envola avec le dégel. Avec une imposante majesté, le Saint-Laurent se débarrassa de son armure de glace. À nouveau, le printemps palpitait.

Bon nombre de Français qui vivaient à Québec, de même que les prêtres, firent leurs préparatifs pour repartir pour la France, dont Champlain et La Violette.

Le drapeau de l'Angleterre flottait maintenant tout en haut du cap Diamant.

Avant de monter sur le navire qui allait le conduire en Europe, Champlain regarda une dernière fois la ville qu'il avait fondée de peine et de misère. À présent que les Anglais s'y trouvaient, maraudeurs et commerçants âpres au gain s'ébattraient tels des vautours dans la vallée du Saint-Laurent.

— Nous reviendrons bientôt, dit Champlain à La Violette. Mais tout sera à recommencer, mon ami, ajouta-t-il nostalgique.

À la suite du pillage des Kirke, la Compagnie des Cent-Associés ne put jamais remonter la pente.

* * *

Champlain revint à Québec le 22 mai 1633, avec le titre de commandant de la Nouvelle-France, celui de gouverneur lui ayant été refusé.

La traite revenait à son point de départ. Les marchands dominaient à nouveau la situation. Le cercle vicieux se refermait sur une Nouvelle-France décidément vouée à une succession de mésaventures.

Au pays depuis 1625, les jésuites allaient supplanter les récollets et imposer peu à peu, par leurs intrigues et leurs alliances, une vision arbitraire et chimérique d'un pouvoir qui n'endurait aucun partage.

Chapitre 3

Le long combat pour récupérer Québec

La Violette n'allait jamais en France sans visiter l'ancien commissaire de la marine royale qui vivait à Rouen. Le président Jeannin avait été l'un de ses répondants auprès de la Compagnie des Cent-Associés.

Influencé par le succès des Hollandais en Amérique et les méthodes utilisées par ces derniers pour accroître leur monopole sur le commerce, Richelieu voulait s'en inspirer par le truchement d'une compagnie qu'il dirigerait lui-même avec quelques collaborateurs et conseillers.

Rouen était une ville exceptionnelle. De fait, c'est dans cette pépinière que le fondateur de Québec avait recruté ses meilleurs interprètes et des hommes remarquables tels

Nicolet, Marsolet, Hertel, Marguerie, les Godefroy, enfants d'une province normande qui avait fourni à la Nouvelle-France sa quote-part de pionniers aventureux.

Tout comme le chirurgien Robert Giffard, recruteur de colons dans sa province du Perche, le président Jeannin était un ardent propagandiste de l'Amérique française. Il comptait parmi ses protégés l'écrivain Marc Lescarbot. Tout individu, si talentueux fût-il, ne pouvait aller très loin ni s'élever dans la hiérarchie sociale en France s'il n'avait en bout de ligne un protecteur influent.

Chaque fois que La Violette rendait visite au président Jeannin — il s'éteignit à l'âge de cent ans, alors que l'espérance de vie à l'époque était de vingt-cinq ans en France — le vieil homme lui réservait un accueil chaleureux.

Le président Jeannin avait longtemps tenu table ouverte pour ses amis et connaissances. À plus de soixante-dix ans, son hospitalité ne se démentait pas et il conservait un esprit gamin, toujours immensément curieux et fasciné par les récits de ses convives.

Alerte, il se rendait encore sur les quais pour assister aux embarquements et regrettait de n'avoir pas obéi, plus jeune, à son attirance profonde.

— Pourquoi avez-vous résisté à l'appel du large? lui avait un jour demandé La Violette.

— Le manque de détermination, mon ami.

Jeannin ne disait pas toute la vérité. Sa femme ne se sentait à l'aise que dans les espaces connus; elle préférait mille fois fournir une généreuse hospitalité aux amis de son mari que de voir ce dernier franchir les mers.

— À quoi bon tenter le diable! rechignait-elle. Beaucoup partent mais ne reviennent pas. Ne vaut-il pas mieux mener une vie bien tranquille?

— Vous parlez d'or, ma chère amie. Me priver de votre présence durant quelques années me serait insupportable, ajoutait le président.

Fille d'un négociant en gros, Anne-Marie Laudonnière n'était pas tout à fait dupe de la diplomatie matrimoniale de son mari, mais elle s'en accommodait.

Le visage orné d'un collier de barbe blanche, les yeux pétillants de malice et de gaieté, le président logeait à Rouen dans une maison massive de trois étages, un bien familial entouré de hauts murs rébarbatifs.

Son intérieur était bourgeois. Des tapisseries et de grandes peintures ornaient les murs dont l'une, saisissante, représentait le château de Saint-Malo et le profil du cap Fréhel, point de repère des navigateurs.

La Violette, qui connaissait les aires, entra par la porte cochère, grande ouverte. Il suivit l'allée de gravier qui conduisait à la terrasse et trouva le président et son domestique, René L'Aube, en train de sarcler les rangs bien entretenus d'un grand potager dans lequel Jeannin, peu conventionnel, passait plusieurs heures par jour.

Le président leva les yeux et aperçut La Violette. Il s'élança avec précipitation.

— Qui vient visiter une vieille taupe? s'exclama-t-il ravi. Est-ce que mes yeux usés me trompent? Par la barbe de Mathusalem, est-ce bien vous, fils des grands espaces?

— En personne, Monsieur le président. Je ne serais pas venu en France sans passer vous voir.

— Quel bonheur!

Dans son accoutrement bizarre, Jeannin trottina vers le visiteur, lui prit affectueusement la main et l'examina avec affection.

— Mon Dieu, jeune homme, l'air de l'Amérique vous a changé! Vous me semblez plus...

— Plus sauvage? Monsieur le président.

— Qu'à cela ne tienne. Oui, plus costaud, en tout cas. Taillé pour la lutte. Quel bon vent vous a conduit jusqu'ici?

— Je suis arrivé il y a deux semaines avec Champlain et je l'accompagnerai bientôt en Angleterre.

— Venez, mon cher ami. Consacrez-moi un peu de temps. Si je fais le calcul, je ne vous ai pas vu depuis au moins deux ans.

— Trois, rectifia La Violette. Je partais alors à Québec avec votre aide. Vous n'êtes pas sans connaître les malheurs qui nous accablent en Nouvelle-France?

— Eh oui! gémit Jeannin. Tenez, Guy, prenez place ici, sous la charmille. Tel que vous me voyez, je suis en piteux équipage.

La Violette sourit, indulgent.

— Si vous aviez porté la veste de daim et les jambières de cuir, je vous aurais pris pour un coureur des bois. Mais je vous ai apporté de là-bas un souvenir que vous ne manquerez pas d'apprécier.

La Violette lui remit un magnifique sac en peau d'orignal qui contenait un non moins superbe bonnet de fourrure.

— Vous me gâtez, jeune homme. Je vous soupçonne de connaître mes points faibles.

Jeannin posa le bonnet sur sa tête et l'ajusta d'un petit geste crâne.

— Comment me trouvez-vous ?

— Batiscan, le chef algonquin de Trois-Rivières, vous inviterait à fumer le calumet.

Cette remarque dérida Jeannin.

— Comment vous accommodez-vous de votre fonction à la Compagnie des Cent-Associés ?

— Très bien. Si nous n'avions eu les frères Kirke sur le dos, j'aurais été un homme comblé.

— Vous vous rendez à Londres, me dites-vous ?

— Oui, Champlain m'a demandé de vous voir à ce sujet. Comme commissaire de la marine royale, vous avez eu, je crois, d'innombrables démêlés avec les administrateurs anglais.

— Ils sont aussi irascibles que des mégères, dit Jeannin, avec une grimace expressive. Vous connaissez la formule ? Ils divisent pour mieux régner. Que Dieu m'en préserve à tout jamais ! Ce sont des spécialistes pour faire traîner les litiges en longueur. Je suppose que vous allez défendre là-bas le dossier de la Nouvelle-France ?

— C'est cela, Monsieur le président. Champlain ira lui-même, au nom du roi, plaider la cause de Québec, pris illégalement par les Kirke. Au moment où je vous parle, le drapeau anglais flotte au grand mât de notre capitale.

— C'est une honte, une double honte ! larmoya Jeannin. Ces brigands se sont emparés de Québec alors que la France n'était même plus en guerre avec l'Angleterre.

— Champlain l'a dit à Gervase Kirke, mais ce dernier n'a rien voulu entendre. En interceptant nos bateaux de ravitaillement, il a plongé Québec dans une misère profonde.

— Quelle tristesse ! gémit le président. Les Anglais n'aiment entendre que les propos qui servent leurs intérêts. Ils sont sourds aux revendications aussi longtemps qu'ils peuvent y gagner quelque chose. Ils ne nous ont jamais pardonné la grande aventure de Guillaume le Conquérant. Et que comptez-vous faire, mon ami?

— Nous rendre à Londres et obtenir justice. Le cardinal a ordonné à Champlain de se montrer ferme dans les négociations. L'Angleterre doit nous remettre Québec dans les meilleurs délais. J'imagine que, dans six ou sept mois, tout rentrera dans l'ordre. D'après votre expérience, Monsieur le président, combien de temps pensez-vous que dureront les négociations?

Emphatique, Jeannin leva les bras vers le ciel comme s'il le prenait à témoin de l'infortune des Français en Amérique.

— Mon Dieu! Vous me demandez conseil? Que pourrais-je vous dire? J'aimerais vous fournir une réponse optimiste, encourageante. À moins d'un miracle, considérant les implications politiques des deux pays, le dossier traînera en longueur.

— Champlain envisage une solution d'ici sept ou huit mois, Monsieur le président.

Jeannin hocha tristement la tête.

— Avant que la Nouvelle-France nous soit rendue, il faudra deux ou trois ans, peut-être plus. Les administrateurs anglais s'efforceront, avec le concours des Kirke, de tirer le maximum de leur occupation.

Ce verdict n'était guère encourageant et Champlain serait ulcéré de vivre d'aussi longs délais dans le règlement du litige.

— Il faudra en prendre votre parti, mon ami, enchaîna Jeannin. J'ai encore quelques amis influents à Londres et je vous fournirai leur adresse. Je doute cependant qu'ils aient le pouvoir de changer quelque chose dans la politique anglaise. Mais parlez-moi de Québec. Dans vos rapports avec les Sauvages*, quelle langue utilisez-vous dans vos affaires commerciales?

— Généralement, nos interprètes parlent la langue de la tribu la plus puissante.

— Et vos rapports avec les Sauvages?

— Difficiles, Monsieur le président. À mon humble avis, malgré les louables efforts des missionnaires, nous n'en ferons jamais des Français catholiques.

La Violette n'osait confier à Jeannin, tous yeux, toutes oreilles, les confrontations de

---

* Terme que les Français utilisaient à l'époque pour désigner les Autochtones d'Amérique.

Champlain avec les chefs montagnais, qu'il pensait soumettre à sa volonté. L'insistance du fondateur de Québec à vouloir leur imposer un autre style de vie, par exemple les obliger à devenir des agriculteurs, avait déclenché une guerre ouverte avec les marchands français qui pratiquaient la traite dans la vallée du Saint-Laurent. Même les interprètes s'en mêlaient. «Qu'on laisse les Sauvages vivre à leur guise. Si on en fait des agriculteurs, ils ne chasseront plus et le commerce de la traite en souffrira» disaient-il.

Prudent, sachant qu'il fallait tenir sa langue, La Violette se gardait de critiquer son chef dont les décisions créaient souvent d'inévitables conflits.

— Vous savez à quel point je m'intéresse à la Nouvelle-France, mon jeune ami. Quels sont les plans de Champlain à brève échéance?

— Il m'a demandé d'ouvrir un nouveau poste à Trois-Rivières. Les Mohawks[*] sont très actifs dans cette région et harcèlent les colons. Je pense aussi qu'il veut constituer une petite armée et attaquer les colonies anglaises et hollandaises.

---

[*] Une des nations iroquoises.

— Une armée! Le visage de Jeannin exprimait une grande perplexité. Ces Sauvages, nos alliés, ont-ils des fusils?

— De nombreux commerçants de La Rochelle leur en vendent. Comme ils ne savent pas les entretenir ou les réparer, ils deviennent vite inutilisables.

— Et l'alcool, que vous appelez là-bas «eau-de-vie»?

— Les Indiens sont superstitieux. Ils croient que l'alcool confère des vertus qui permettent de communiquer avec les esprits.

— Justement, vous me rappelez mes devoirs d'hôte, mon cher La Violette. Je vous tiens, je vous garde! Ma maison est la vôtre.

Jeannin replaça le bonnet sur sa tête.

— Les nouvelles de la colonie nous parviennent d'une façon si parcimonieuse que je vous serais obligé si vous acceptiez de me consacrer un peu de temps, disons une semaine.

La Violette fit un bref calcul; il disposait d'une quinzaine de jours avant de rejoindre Champlain et, bien que vieillissant et retiré, Jeannin était à la fine pointe des informations politiques et économiques. Un séjour chez lui serait instructif.

La Violette s'inclina respectueusement.

— Croyez bien, Monsieur le président, que je suis votre obligé. Votre invitation m'honore.

— Venez, mon ami. De ce pas, allons boire un porto que je réserve à mes invités de marque.

Chapitre 4

Le chef Capitanal veut un fort à Trois-Rivières

Comme l'avait prédit l'ex-commissaire de la marine royale, les pourparlers concernant la restitution de Québec furent longs et laborieux.

Champlain se montra un excellent avocat, mais à tout moment l'ambassadeur anglais invoquait une quelconque procédure pour retarder la solution.

Durant les cinq semaines que Champlain passa à Londres, sa santé commença à se détériorer. Il contracta un mauvais rhume, fit une forte fièvre et s'alita. Comme la plupart des hommes robustes de son époque, il avait abusé de sa forte constitution, se plaisant à répéter que Dieu lui avait donné une santé d'airain, que rien ne pouvait entamer.

À son chevet, La Violette le soigna avec dévouement.

— Ce ne sont pas les virus de Londres qui me tuent, mais les procédures, disait-il au jeune homme.

Champlain découvrit aussi que son étoile avait pâli: Richelieu avait offert à Isaac de Razilly de le remplacer en Nouvelle-France. Toutefois, ce dernier refusa, jugeant Champlain plus apte que lui à diriger les destinées de la colonie.

Enfin, après trois longues années d'occupation (1629-1632), Québec fut rendue à la France.

Ces espèces de grands nigauds qu'étaient les souverains européens se mettaient les pieds dans les plats plus souvent qu'à leur tour.

Charles Ier d'Angleterre avait épousé Henriette, la sœur du roi de France, et le débat portait sur la dot qui n'avait pas été payée. La position de l'ambassadeur anglais était la suivante: «Que le roi de France nous paye la dot de sa sœur Henriette et nous allons lui redonner la Nouvelle-France, moins Port-Royal que nous voulons conserver.»

* * *

Champlain avait profité de son séjour forcé dans la métropole pour rédiger un ouvrage qu'il intitula *Voyages de la Nouvelle-France occidentale.*

Servi par un esprit pratique, Champlain ne s'attarda pas, comme le firent maints voyageurs dans leurs carnets de voyage, aux formes poétiques des objets et des choses. Il voyait un paysage, un lac, une rivière et les décrivait sans fioriture.

Il concluait ainsi: «Sans une colonie permanente, jamais la France ne prendrait racine en Amérique du Nord.»

La Violette s'étonnait de son ardeur au travail. Il semblait dévoré par une flamme intérieure. «Un bien drôle d'homme» pensait-il. Champlain laissait rarement filtrer ses sentiments; à la fois ouvert et secret, plein de pudeur et de candeur, il ne se livrait qu'à la dernière extrémité.

Davantage pénétré de sa mission que ses prédécesseurs, doté d'une grande foi en son destin, Champlain aimait le travail bien fait et possédait une volonté de fer. Mais ses qualités énormes pouvaient être gâtées par les pires bigoteries.

Vibrant d'allégresse, Champlain reprit la mer en mai 1633. À nouveau confirmé dans son poste de lieutenant-gouverneur — il ne put obtenir celui de gouverneur — il revenait avec trois navires, le *Saint-Pierre*, le *Saint-Jean* et le *Don-de-Dieu*.

À mesure que les bateaux aux voiles gonflées par le vent progressaient vers le Canada, ses souvenirs affluaient. Les vieux compagnons d'hier, tel Testu, son lieutenant des premières corvées, n'étaient plus là.

Enfin, apparut Tadoussac. Par sa beauté naturelle, sa rade profonde protégée par des falaises de granit, la douceur de son climat en été, Tadoussac avait toujours séduit les aventuriers naviguant le long du littoral de la Côte-Nord.

Territoire de chasse et de pêche des Indiens, filon économique pour les Basques, chasseurs de baleines, cette région aux vastes espaces et à la nature tourmentée invitait à l'aventure.

— Combien de fois avez-vous traversé l'Atlantique? lui demanda La Violette.

— Je ne les compte plus, mon ami. Plus de vingt-cinq fois peut-être.

Le fondateur de Québec, qui connaissait la fragilité de sa santé, pensait que ce serait sans doute le dernier voyage. Il regardait La Violette avec sympathie et n'hésitait pas à lui confier ses nouveaux projets.

— En arrivant à Québec, Monsieur La Violette, je vais tenir une promesse sacrée. Vous vous souvenez de ce que je vous ai dit trois ans plus tôt, alors que les Kirke occupaient la ville?

La Violette fouilla dans ses souvenirs.

— Je crois que vous parliez de faire bâtir une chapelle à Notre-Dame-de-la-Recouvrance* si Québec vous était rendue.

— C'est exact, Monsieur La Violette. Je m'y emploierai dès mon arrivée. Je veux aussi que la Nouvelle-France prenne de l'expansion vers l'ouest.

Champlain ne le disait pas ouvertement, mais il pensait que les commanditaires, les armateurs de Rouen, de Dieppe et de La Rochelle, avaient le bras aussi long que les missionnaires, les uns et les autres cherchant leur profit sur les terres généreuses de la Nouvelle-France.

En débarquant à Québec, Champlain éprouva un vif plaisir de voir que les colons

---

*   Aujourd'hui Notre-Dame-des-Victoires.

l'accueillaient avec une joie manifeste. De partout on criait: «Vive Champlain!» On se pressait sur le parcours pour le toucher, lui serrer les mains, le cajoler. On agitait de petits drapeaux, on chantait des cantiques à sa louange et à sa gloire.

Après trois longues années d'une cruelle absence, Champlain renouait avec sa deuxième patrie, celle qu'il préférait et où il avait vécu la majeure partie de son existence. Cet accueil chaleureux le réconfortait. Un vrai triomphe.

— Je me sens renaître, confia-t-il à La Violette, touché par ces marques d'affection.

La journée se termina dans les festivités et les visites d'amitié.

* * *

Le lendemain, escorté de plusieurs de ses collaborateurs immédiats, Champlain procéda à un inventaire de Québec: tous les champs cultivés étaient à l'abandon et les murs de nombreux bâtiments avaient été abattus. Bref, les frères Kirke s'étaient lourdement vengés avant d'abandonner la ville.

Néanmoins, Champlain contemplait avec fierté la ville qu'il avait été forcé d'abandonner trois ans auparavant.

Vu de loin, le cap Diamant semblait être la sentinelle vigilante du fort qu'il dominait de sa masse imposante.

Avant de construire l'Abitation, vingt-cinq ans plus tôt, le fondateur de Québec avait escaladé la montagne pour découvrir, par une large éclaircie, l'horizon sans limites. Au loin, le fleuve se resserrait en épousant la forme d'un goulot. Pas une barque ne pouvait passer au large sans qu'elle ne soit aperçue par la vigie. En contrôlant l'amont du fleuve par le biais de son installation, Champlain accaparait à ses propres fins la route principale de la traite.

Mais le Saint-Laurent restait une énigme. Quels puissants cours d'eau alimentaient ce géant?

Soudain, venant vers la rade alors qu'il s'y trouvait, Champlain aperçut une douzaine de canots dans lesquels voyageait le chef montagnais Capitanal.

Très grand, le port altier, l'homme basané aux yeux noirs comme des morceaux de charbon regardait avec amusement l'inconsistance des visages pâles qui s'amusaient à bâtir de grandes cabanes pour les abandonner ensuite aux griffes puissantes de la nature.

— Et où vas-tu de si grand matin? demanda Champlain, croyant que Capitanal se rendait à Tadoussac pour commercer avec les Anglais. Ses démêlés nombreux avec les Montagnais avaient facilité aux frères Kirke la prise de Québec.

— Si tu avais construit un fort à Nebetek[*], comme je l'ai déjà demandé, je n'aurais pas besoin d'aller là-bas. Tu es parti depuis longtemps et tu ignores beaucoup de choses. À Nebetek, les Iroquois tiennent une place forte et gênent le trafic de la traite.

— Et si je construisais un fort?

— Je t'apporterais mes fourrures au lieu de les porter chez les Anglais.

Champlain avait toutes les raisons de s'inquiéter des empiètements des Britanniques. Une rumeur persistante voulait qu'ils aient des visées sur Port-Royal puisqu'ils considéraient l'Acadie dans leur zone d'influence.

— Très bien, Capitanal. J'enverrai le sieur de La Violette construire un fort à Trois-Rivières. En attendant, mets pied à terre et accepte mon hospitalité. Dis à tes jeunes gens de se rendre au fort Saint-Louis.

---

*   Trois-Rivières.

Nous aurons l'occasion de festoyer et de bavarder plus longuement.

* * *

Sur les tables dressées dans la cour du fort Saint-Louis, Capitanal et ses hommes avalèrent avec délectation les pièces de viande, les gigots, les corbeilles de fruits sauvages, les confitures à la citrouille et les petits pains rissolés.

Les convives exprimaient bruyamment leur satisfaction par des ha! et des ho! à répétition. Étonné par l'ampleur du festin, Capitanal dévorait à belles dents tout ce qui lui tombait sous la main.

— Ta générosité te fait honneur, grand capitaine, dit-il à Champlain.

— Il n'est rien de plus agréable que de faire plaisir à des amis. Les fêtes ne sont-elles pas un prélude aux grands événements? Sans les réjouissances, la vie serait un deuil. Tes guerriers ont l'air d'apprécier ce moment.

Le visage altier de Capitanal se dérida.

— S'ils mangent trop, leur ventre sera une outre difficile à porter. À la chasse et au combat, un guerrier a besoin de toute son agilité. Avec les Iroquois un peu plus haut, je suis toujours sur le sentier de la guerre. Ils ont pris plusieurs de nos canots remplis de peaux de castor. Si nous restons couchés sur nos nattes, ils viendront demain dans nos villages se saisir de tous nos biens.

Il regarda Champlain de ses yeux rusés.

— Même ton fort ici ne sera pas en sécurité, enchaîna-t-il.

— Mais j'en construirai d'autres, Capitanal.

— Mes ennemis sont donc les tiens ?

— S'ils s'en prennent à mes alliés, ce sont les miens.

— Et tu construiras un fort à Trois-Rivières ?

— Je t'en fais la promesse solennelle.

— Et quand le commenceras-tu ?

— J'arrive tout juste de mon pays et je dois mettre de l'ordre dans mes affaires. Pars devant !

— Tu me rejoindras ?

— Mon lieutenant, La Violette partira dans quelques jours. Fais-lui confiance !

Dans un geste amical, Capitanal posa sa main sur celle de Champlain.

— J'ai ta parole. Elle a beaucoup de valeur. Je suis content du festin que tu nous a offert. La joie est autour de nous.

Capitanal déploya sa longue taille, s'avança au centre de la cour et imposa le silence de la main. Le moment était venu de discourir.

— Frères, nous sommes un peuple fier, libre et généreux. Sur nos terres, nous voyons depuis longtemps accourir les étrangers. Certains voulurent prendre par la force ce que nous voulions leur donner. Dans notre candeur et notre inexpérience, nous pensions alors que tous les étrangers avaient des cœurs bienveillants et qu'ils venaient sur nos terres pour commercer et fraterniser. Hélas ! plusieurs portaient les masques du mensonge et de l'hypocrisie.

Assis près de Champlain, l'interprète traduisait à mi-voix, au fur et à mesure, la harangue de Capitanal.

— Avons-nous été vigilants, à l'écoute des voix de nos ancêtres ? Avons-nous trop vite oublié nos désillusions d'antan ? Si le passé nous livre ses secrets, nous prions l'Esprit d'en haut pour que l'avenir soit meilleur, comme nous savons apprécier le présent.

Il fit une courte pause, puis enchaîna.

— Le grand capitaine Champlain nous fait l'honneur d'un festin que nous goûtons avec autant de délice que les framboises de nos savanes. Ses paroles, ses gestes, ses engagements témoignent qu'il a pour nos peuples une vive affection. Il nous accompagne sur les sentiers de la guerre. Il vit nos luttes, nos souffrances. Il met dans notre camp le tonnerre de ses armes. Et maintenant, il promet de construire un grand fort qui nous mettra à l'abri de nos ennemis. Ceux qui viendront après nous garderont fidèlement son souvenir à tout jamais.

Une immense clameur salua le discours du chef montagnais et les convives se livrèrent à toute une série de contorsions.

— Je crois qu'ils ont apprécié le festin, fit remarquer La Violette à Champlain.

— C'est aussi mon avis. Préparez-vous à partir. Ce fort que vous construirez à Trois-Rivières sera une excellente affaire pour la traite.

Chapitre 5

La Violette entre dans l'histoire

Dans les jours qui suivirent sa réinstallation à Québec, Champlain ordonna des travaux de réfection au fort Saint-Louis, laissé dans un état de délabrement désolant par les frères Kirke. Il s'occupa également des deux cents colons qu'il avait ramenés de France, en même temps que les pères Massé et Brébeuf.

Déjà sexagénaire, le fondateur voulait donner un dernier grand coup de collier.

— Je ne me fais pas d'illusion sur ma santé, confiait-il à La Violette, qui le servait avec dévouement.

Il pensait aussi à prolonger le réseau de la traite en aval de Québec et d'y construire des forts à des endroits stratégiques. Il voulait même constituer une petite armée de deux cents hommes pour ravager les établissements du fort Orange et de la Nouvelle-Amsterdam[*].

— Nous avons deux ennemis en Nouvelle-France, les Anglais et les Iroquois, répétait-il souvent à La Violette, qui agissait en quelque sorte comme son secrétaire et son aide de camp.

Pendant une vingtaine d'années, Trois-Rivières avait été le comptoir de traite le plus important de la vallée du Saint-Laurent, alimenté par la rivière Saint-Maurice, le plus gros affluent du fleuve après l'Outaouais. Cette fougueuse rivière prenait sa source dans un grand réservoir d'eau, entre le fleuve et la baie d'Hudson; elle recevait également les eaux des rivières Matawin, Wabano, Bostonnais, Windigo, Croche, entre autres. Du nord au sud, la Saint-Maurice coulait sur une distance de 395 kilomètres, sous le couvert d'un épais manteau forestier. Les chasseurs l'utilisaient souvent pour transporter les produits de leur chasse.

À certains moments de l'été, les marchands français se donnaient rendez-vous à

---

[*]   Aujourd'hui la ville de New York.

Trois-Rivières, pratiquaient le troc avec les Indiens et revenaient ensuite à Québec.

Champlain confiait donc à La Violette une mission de toute première importance et lui fit ses recommandations d'usage.

Quelques années auparavant, Jean Nicolet s'était rendu au grand lac Michigan, à la demande de Champlain, et à son retour, en guise de récompense, il avait été nommé commis et interprète au comptoir de Trois-Rivières. Mais il n'avait jamais été question de pousser plus loin le développement de ce secteur ni d'y créer une installation permanente.

Champlain pensait le moment venu — surtout avec la présence inquiétante des Iroquois au lac Saint-Pierre — de construire un fort entouré d'une solide palissade.

— Je vous confie une tâche difficile sans vous fournir de grands moyens.

— Je ferai de mon mieux, dit La Violette, confiant.

— Si vous voyez dans les parages mon ancien pilote Jacques Michel, ne lui fournissez aucune aide. Il est traître à son pays et à moi-même.

— J'agirai en conséquence.

— Méfiez-vous des Algonquins, car ils tiennent deux langages. À Trois-Rivières, je voudrais que vous soyez mes yeux et mes oreilles. Dès que votre installation sera terminée, j'essaierai, malgré ma fatigue, de me rendre là-bas.

— Vous semblez inquiet, Monsieur!

— Je ne vous cacherai pas la vérité: ma santé décline de jour en jour. Mais ne nous occupons pas de mes maux. Le père Paul Le Jeune vous sera d'un grand secours dans vos projets.

Champlain tendit une main cordiale à La Violette.

— Eh bien, que Dieu soit avec vous! Vous avez sur les bras une rude tâche mais je fais confiance à votre esprit de débrouillardise.

La Violette fit donc ses préparatifs. Il se rendit sans tarder chez Robert Giffard, médecin originaire de Perche et venu en Nouvelle-France avec ses enfants et une quarantaine de colons recrutés par ses soins. Giffard, qui était d'un dévouement exemplaire, s'était fixé en permanence à Beauport, sur une belle seigneurie que lui avait octroyée la Compagnie des Cent-Associés, le 15 janvier 1634.

— Vous allez vous installer dans une région dangereuse, fit remarquer l'excellent homme, tout en préparant une trousse de médicaments indispensable à la mission de La Violette.

— Là ou ailleurs, les Iroquois sont partout. S'ils nous attaquent, nous nous défendrons.

— Le bruit court que la santé de Champlain est défaillante.

— Il ne se plaint pas, mais je le pense plus atteint qu'il ne le dit.

— J'irai le voir, promit Giffard.

Le médecin plaça une kyrielle de pots sur une table.

— Vous avez là tout ce qu'il faut, expliqua-t-il. Voici l'absinthe pour la fièvre, la cannelle pour la grippe, le basilic pour les maux d'estomac, la chicorée pour la digestion, le romarin pour les enflures, les onguents pour les plaies et quelques baumes de ma composition qui ne manqueront pas de soulager.

La Violette remercia le médecin avec effusion.

— Allez, mon ami, ces médicaments vous seront utiles. Vous allez construire un fort en aval?

— Oui. Champlain veut en couvrir la vallée du Saint-Laurent. Je ne manquerai pas de lui dire que je suis votre obligé.

Robert Giffard sourit.

— Si je peux vous être utile, n'hésitez pas.

Beauport[*] se trouvait au nord du Saint-Laurent. L'endroit était remarquable par sa chute[**], une masse d'eau écumante qui s'élançait d'une falaise pour se jeter dans le fleuve. En face de cette chute spectaculaire, les Indiens superstitieux prétendaient qu'il y avait un gouffre insondable[***], habité par de mauvais esprits. Ils évitaient le secteur, craignant le pouvoir maléfique des démons.

La Violette ne perdit pas son temps à Québec. Il chargea huit barques de marchandises et de matériaux, recruta une main-d'œuvre qu'il jugeait qualifiée pour une dure besogne et se mit en route non sans que le pieux Champlain eût fait chanter une messe.

* * *

---

[*]   On écrivait «Beau Port» au début de la colonie.

[**] La chute Montmorency est d'une hauteur de près de quatre-vingt-cinq mètres.

[***] Le «trou du taureau».

Terrassiers, menuisiers, bûcherons se mirent à la tâche, besognant, suant, peinant, défrichant, éperonnés par un chef infatigable. Le fort devait être terminé avant les grands froids.

Dans le bourdonnement des essaims de moustiques et de mouches, du bruit des marteaux alternant avec la chute sonore des arbres abattus à coups de hache, les hommes trimaient dur du matin au soir.

On construisit d'abord la charpente du magasin général, abri solide pour y entreposer les vivres, les armes à feu, les munitions et les fourrures.

La Violette fit ériger le fort en suivant le plan de Champlain; autour de ce complexe résidentiel et militaire, il fit creuser un fossé d'une largeur d'environ trois mètres. Tout autour, on laboura les champs afin de les ensemencer en temps voulu. Un puits à margelle fournissait l'eau potable aux occupants. Au fur et à mesure que les besoins l'exigeraient, des annexes seraient ajoutées aux bâtiments existants.

Ces installations étaient rudimentaires, mais solides.

Suivi de quelques hommes de Capitanal, La Violette fit aussi de brèves excursions dans la région. Une nature luxuriante, généreuse et d'une beauté incomparable grouillait sous ses yeux. Il y avait des taupes à museau étoilé, des marmottes, des loutres en si grand nombre qu'on pouvait les assommer à coups de bâton. La région regorgeait d'arbres fruitiers et de gibier. Mésanges, chardonnerets, grives, chouettes et de nombreuses autres espèces d'oiseaux s'en donnaient à cœur joie. Des framboisiers, du ginseng, du gingembre sauvage et de nombreuses plantes inconnues poussaient dans les clairières.

L'été passa très vite.

Vint septembre, la lune des feuilles colorées et des nuits plus froides.

Tout était prêt.

* * *

À la mi-septembre, des éclaireurs algonquins signalèrent la présence d'une flottille d'Iroquois en armes. Elle rôda quelques jours dans les parages.

Une fin d'après-midi, plusieurs Iroquois mirent pied à terre, mais ils s'embourbèrent dans une mare boueuse. Les flèches volèrent de toutes parts. Embusqués derrière les arbres, les Algonquins tiraient à volonté, mais il n'y eut pas de pertes de vies, ni dans un camp ni dans l'autre.

L'escarmouche terminée, Capitanal s'entretint avec La Violette.

— Ils reviendront, dit-il laconique. Il montra du doigt les bouquets d'îles. Ils campent à ta porte, mon frère. Il y aura beaucoup de morts. Place des sentinelles sur tes tours! Nous vivrons des saisons difficiles, prédit-il. Un jour, vos ennemis auront des fusils. Que ferez-vous alors? Nous laisserez-vous faibles et démunis? Ton capitaine dit que les Français nous protégeront, mais pourront-ils se protéger eux-mêmes?

— Ton esprit est morose, Capitanal. Regarde ce fort. Il est solide. Nous en construirons beaucoup d'autres.

— Hum!

Capitanal alluma cérémonieusement sa pipe.

— Nous tenons une assemblée demain, poursuivit-il. Nos alliés viendront de partout. Nous discuterons. Nous ferons des ententes. Seras-tu des nôtres?

— J'irai si tu me fais voir du pays.

— Tu le verras, mais il est grand.

— Je suis patient.

La Violette pensait à ses propres rêves, à ce monde nouveau à bâtir, au peuplement de la vallée du Saint-Laurent, le rêve que caressait Champlain.

Mais tout cela prendrait du temps... beaucoup de temps. Les forts semés le long des rives du fleuve deviendraient avec les ans des villages et les villages des villes.

ECOLE PAUL-CHAGNON
5295, CHEMIN CHAMBLY
SAINT-HUBERT (TAILLON)

Chapitre 6

Trois-Rivières, des premiers temps difficiles

Sur une planche de bois équarrie à la hache qui lui servait d'autel, le père Paul Le Jeune avait disposé les objets religieux servant à l'office divin. Tous les matins, beau temps mauvais temps, il disait la messe pour les rudes pionniers de Trois-Rivières.

Revêtu de ses vêtements sacerdotaux, le missionnaire s'efforçait de donner, malgré des moyens réduits, un peu de décorum, surtout spectaculaire par le grandiose fond de scène : la nature luxuriante.

L'été, la messe quotidienne ou les offices religieux se célébraient à l'extérieur, sous une toile tendue entre les arbres. Assisté de son collègue, le père Buteux, Le Jeune prononçait avec sa ferveur habituelle une homélie appréciée par les colons.

— Par la grâce de Dieu, nous avons le privilège de vivre dans un pays appelé à un grand destin. Votre labeur et vos sacrifices ne seront pas vains.

Paul Le Jeune, sans doute le meilleur propagandiste de la Nouvelle-France, brossait un tableau idyllique du monde à venir. Et bien que les Iroquois campaient dans la forêt toute proche, prêts à fondre sur les colons et à les scalper, ces derniers buvaient les paroles réconfortantes de leur pasteur. Ils en avaient bien besoin.

À genoux sur des madriers rugueux, les assistants — La Violette en tête — aimaient ces instants privilégiés au cours desquels ils rêvaient d'un lendemain prometteur.

Aux quatre coins du camp, des sentinelles montaient la garde, distraits bien malgré eux par le cérémonial et les chants.

Dans la forêt impénétrable et sombre, les Iroquois regardaient l'étrange rituel des Français qui psalmodiaient des prières adressées à un protecteur invisible caché dans les profondeurs du ciel. Ils pensaient que les «robes noires» pratiquaient une magie qui leur rappelait les incantations de leurs propres sorciers.

* * *

Les Iroquois qui rôdaient dans les parages de Trois-Rivières et dont les bandes tenaient fermement les canaux du lac Saint-Pierre, précipitèrent les événements et établirent pour longtemps les règles du jeu. Mi-nomades, mi-sédentaires, animés par une pensée impérialiste, ils estimaient — par leur supériorité guerrière — qu'ils devaient soumettre toutes les tribus à leur autorité et à leur loi fondée sur un ordre rigoureux: la famille.

Se décrivant comme des «rassembleurs de terres», ils avaient entrepris depuis fort longtemps de fédérer les cinq nations — Agniers, Onneiouts, Onontagués, Goyogouins, Tsonnontouans — et de faire une guerre à outrance aux Français.

Les femmes exerçaient une primauté absolue; c'est elles qui nommaient les chefs de nation et donnaient le signal de la guerre.

François Ahuntsic, néophyte huron jeté dans la rivière des Prairies avec le père Nicolas Viel à un endroit nommé Sault-au-Récollet, avait prévenu Champlain.

— Ils se rassemblent pour vous tuer. Dès qu'ils seront sur le sentier de la guerre, vous n'aurez plus de paix.

À l'été de 1635, Jean Nicolet, l'intrépide voyageur et commissaire de la Compagnie des Cent Associés, avait mis La Violette en garde lors d'un séjour à Trois-Rivières.

— Fourbissez vos armes, Monsieur. Ils vous mijotent de grands soucis. Vos effectifs me semblent bien faibles pour de si grands dangers.

La Violette reconnaissait la justesse des observations de Nicolet. Mais que pouvait-il faire? Québec comptait moins de trois cents habitants et Champlain était en train de mourir.

* * *

La construction du fort de Trois-Rivières avait été harassante et angoissante. Harcelés par les moustiques, les manœuvres avaient travaillé du matin jusqu'au soir et s'étaient accordé peu de répit. Même La Violette avait mis la main à la pâte.

En défrichant et en coupant des arbres pour construire la palissade et les cabanes intérieures, selon le modèle de l'Abitation de Québec, La Violette s'était rappelé le conseil de Champlain :

— Ne construisez pas trop grand ; vous vous trouvez à un avant-poste dangereux. Moins vous en aurez à protéger, mieux ce sera.

Avec à peine une poignée d'hommes à sa disposition, le fondateur de Trois-Rivières s'en était tenu aux normes conseillées par son supérieur hiérarchique. Il n'avait qu'une seule idée en tête : terminer les travaux dans les délais prévus. Plus ramassé sur lui-même, le fort serait moins vulnérable en cas d'agression.

À tour de rôle, les charpentiers avaient fait le guet nerveusement, se doutant bien qu'ils n'étaient pas dans une situation pour soutenir un long siège.

Jean Guiot, ouvrier d'une grande disponibilité, que l'on appelait familièrement le Négrier, voyait plus souvent qu'à son tour, dans le mouvement des feuilles et les ombres furtives qui accompagnaient les couchers de soleil, des Iroquois embusqués.

— Alerte ! criait-il, à tout moment.

Pierre Drouot, Isaac Conte et Guillaume Née, ses compagnons de travail, tournaient sa manie en dérision. Mais La Violette, au contraire, la louait.

— Votre vigilance vous honore, Monsieur Guiot. Elle démontre votre sens des responsabilités. Il vaut mieux crier avant qu'après.

Le père Paul Le Jeune, le grand évangélisateur des Algonquins chargé de nombreuses missions diplomatiques auprès des Indiens, riait de bon cœur. Pour exercer son apostolat, il avait insisté pour accompagner La Violette à Trois-Rivières, de même que le père Jacques Buteux.

Né en 1591 de parents calvinistes, Le Jeune s'était converti au catholicisme et était entré au noviciat des jésuites, à Rouen, à l'âge de vingt-deux ans. Puis, il s'était retrouvé au collège de La Flèche, la pépinière des missionnaires et des martyrs canadiens.

Le père Jacques Buteux avait suivi un trajet similaire. Arrivé à Québec en même temps que Le Jeune et doté d'une grande humilité, Buteux voulut, dès son arrivée en Nouvelle-France, se joindre à l'expédition de La Violette à Trois-Rivières. Il joua d'abord un rôle assez obscur, mais un courage indomptable l'habitait.

* * *

L'automne s'installa en douceur. Un manteau aux riches coloris enveloppa la forêt, et les journées raccourcirent.

Dans la froidure des matins clairs, La Violette contemplait son œuvre. Le fort était robuste, capable de soutenir les plus furieuses attaques.

La Violette avait eu à subir quelques sorties des Iroquois, mais il s'agissait plutôt de tentatives de dissuasion, d'escarmouches sans conséquence.

Vers la fin d'octobre, avec les premières giboulées, les pionniers s'installèrent dans le bâtiment principal. La Violette n'était pas un architecte et comme tous les forts de l'époque bâtis hâtivement pour se mettre à l'abri, le fortin de Trois-Rivières présentait tous les vices de construction d'alors.

Au début de décembre, le scorbut fit son apparition. Il faucha six hommes, qui moururent après d'atroces souffrances.

Il est étonnant que Jacques Cartier, lors de son hiver passé en Kannata à son deuxième voyage en 1535, si lourdement éprouvé par le scorbut, n'eût pas songé à transmettre à ses successeurs l'antidote contre ce mal pernicieux qui continuait à décimer les colons français.

Domagaya, l'un des fils de Donnacona, chef de Stadaconé, avait pourtant révélé au Malouin que cette maladie se soignait et se guérissait avec des concoctions tirées des feuilles du cèdre blanc. Il faut dire aussi qu'à cette époque de découvertes, les explorateurs gardaient jalousement leurs secrets. Cette politique incluait même les précieuses cartes maritimes établies et dessinées au hasard de voyages périlleux. La connaissance des «routes de l'eau» n'était-elle pas un passeport vers l'enrichissement et souvent la gloire?

Impuissant à les soulager, La Violette regarda ses hommes mourir. Et pourtant, à proximité du fort, le cèdre blanc ne manquait pas.

En janvier, les occupants du fort furent soumis à une autre sorte d'épreuve, la famine. Pour ne pas mourir de faim — les provisions alimentaires étant épuisées — la petite troupe dut se nourrir de racines et d'une mousse arrachée aux roches.

Un hiver terrible, quoi! Les survivants auraient trouvé bienfaisante la flèche égarée d'un Iroquois, tant leurs souffrances étaient pénibles.

* * *

Enfin, l'arrivée du printemps et le dégel du fleuve chassèrent le découragement chez la vaillante petite équipe. La vie reprenait son vol.

Dans la ville naissante, les colons ne pensaient déjà plus à l'hiver qu'ils venaient de subir, mais aux promesses d'avenir.

Durant ces longs mois de désolation et d'amertume, La Violette s'était affirmé par sa conduite irréprochable. À tout moment, il avait trouvé les mots pour réconforter.

— Un jour, grâce à la Providence et à votre travail, vous aurez ici des terres à cultiver, et elles ne manqueront pas. Vous élèverez des familles et vos enfants poursuivront votre œuvre, disait-il inspiré.

Les colons l'écoutaient, comme ils écoutaient le père Le Jeune.

— Gloire à Dieu, nous sommes vivants pour accomplir de grandes choses en Nouvelle-France.

Mais avant de connaître le paradis sur terre, il fallait se garder d'oublier que le véritable fléau pour les colons de Trois-Rivières était représenté par les Iroquois, pires que le scorbut et la famine ensemble. Ils vivaient en bon nombre au cœur d'une région qu'ils contrôlaient par la force et la ruse.

Une palissade et quelques mauvais bâtiments ne changeaient pas la réalité ni ne faisaient un pays. Trois-Rivières n'était pas autre chose qu'un rêve dans la tête de Champlain, le fondateur de Québec.

Chapitre 7

Au centre d'une guerre commerciale

Les grands capitaines d'aventures et les missionnaires qui se hasardèrent sur les routes périlleuses de la Nouvelle-France mirent la traite des fourrures au premier rang de leurs priorités.

Les évangélisateurs ne pouvaient ignorer cette dimension pratique et économique : pas de profit, pas de colonie ; pas de colonie, pas de futurs baptisés.

Champlain connaissait mieux que quiconque cette contrainte inévitable. Dans une période de disette, alors que Québec frôlait la faillite, il s'était marié pour sauver provisoirement la colonie, la dot de sa femme lui offrant une planche de salut.

Au cours de ses entretiens avec La Violette, son protégé, le fondateur de Québec avait été clair et pragmatique.

— Le fort construit à Trois-Rivières, dans le delta du fleuve, nous permettra d'établir un monopole sur la traite. Mon but est simple : ce poste avancé deviendra le rendez-vous principal des sauvages et des traiteurs. Le castor abonde dans cette région.

La Violette comprenait une chose : Champlain le jetait dans la gueule du loup, mais son intrépidité naturelle l'emportait sur le reste. Après tout, on ne venait pas en Nouvelle-France pour jouir de la sécurité.

— Pensez-vous qu'il serait nécessaire d'aller plus haut ?

— Sans aucun doute. Le commerce de la traite doit connaître une expansion souhaitable pour nos intérêts.

— Comment poursuivre cette expansion si les Iroquois sont à l'affût derrière chaque arbre ? Pouvons-nous leur résister ?

Champlain restait évasif.

— Même Québec est en danger, avouait-il.

Malade, usé par les fatigues, l'incertitude et l'incompréhension des administrateurs de la métropole pour l'Amérique du Nord, Champlain conservait toujours le goût de se battre.

— Je ne vous le cache pas, votre mission est périlleuse, Monsieur La Violette. Je vous expédie aux premières lignes.

— Mon succès n'en sera que plus méritoire, Monsieur.

— La Compagnie des Cent Associés a été lourdement éprouvée par l'occupation des Anglais.

Champlain pensait au pillage des frères Kirke.

— Vous êtes bien placé pour le savoir, Monsieur La Violette. Pour tenir ses engagements, se renflouer, les Associés ont besoin d'un essor vigoureux du commerce.

— Ils ont aussi besoin de stabilité.

— Improbable, mon ami.

Personne en Nouvelle-France n'était meilleur juge de la situation que Champlain.

Les Indiens apportaient leurs fourrures aux postes de traite des Français, mais il était impératif que les pourvoyeurs de la Compagnie des Cent Associés pussent circuler sans encombre sur les routes de l'eau. Avec l'épuisement du gibier, le castor surtout, les coureurs des bois modifièrent par la suite les habitudes des fournisseurs et se rendirent dans leurs bourgades pour troquer les précieuses marchandises.

Les Indiens refusaient d'être payés dans la monnaie du temps. Ils voulaient des armes, des biscuits, des pois, du petun (tabac), des couteaux, des haches, des chaudières, des fers de flèches, des tranches pour fracasser la glace et de l'eau-de-vie. Peu à peu, insouciants de l'avenir, ils désorganisaient leur propre réseau économique pour devenir dépendants des Blancs.

Bon an, mal an, la Compagnie des Cent Associés troquait approximativement 20 000 peaux de martre, de loutre, de rat musqué, de vison, de castor et autres fourrures moins recherchées, pour un profit annuel de 300 000 livres.

Mais ce commerce restait fragile, à la merci d'événements que les Français ne pouvaient contrôler. Les raids iroquois qui s'intensifiaient rendaient de plus en plus précaires les routes de l'eau, affectant d'une façon dramatique les livraisons de fourrure.

La Violette n'eut aucun mal à enregistrer le message de Champlain. Il signifiait : «Au cœur de l'ouragan iroquois — qui balaya la nation huronne quelques années plus tard — faites l'impossible! Monsieur La Violette.»

D'autre part, l'épineuse question de l'eau-de-vie revenait constamment dans les débats. Les Anglais et les Hollandais en vendaient aux Indiens, de même que quelques trafiquants français. Rester à l'écart de cette pratique dénoncée par les missionnaires équivalait à se placer dans une situation d'infériorité.

De leur côté, les marchands pestaient. Au plan commercial, ils avaient raison, mais au plan moral, la position des religieux était incontestablement solide. Les premiers pensaient aux bénéfices à réaliser, les seconds aux «âmes à sauver». Qui l'emporterait?

Décidément, les frictions étaient nombreuses entre les gouverneurs et les évêques.

* * *

Une guerre féroce pour le contrôle des fourrures déchirait les nations autochtones, aucune ne voulant céder ou partager avec l'autre son réseau d'alliances.

Au printemps de 1633, les Hurons avaient même assassiné l'interprète Étienne Brûlé, à Toanché. Ils croyaient que ce dernier, installé chez les Tsonnontouans, négociait secrètement des accords avec eux pour les convaincre de commercer avec les

Français, ce qui, à toutes fins utiles, mettait en danger leur primauté. Les Hurons refusaient de partager leur pouvoir avec qui que ce fût ou de devenir dépendants des Iroquois sur le plan économique.

Brûlé avait beaucoup de choses à se faire pardonner. Il pensait qu'en préparant les voies à une nouvelle alliance avec les Tsonnontouans, il pouvait se racheter aux yeux de Champlain. Mais ce dernier n'oubliait pas qu'à l'époque de l'occupation par les frères Kirke, Brûlé était passé du côté des Anglais, trahison impardonnable pour le fondateur de Québec.

Son assassinat avait provoqué des remous à Québec, mais finalement, tout le monde s'était entendu pour passer l'éponge. Le meurtre impuni d'un Français pouvait inciter les Indiens à récidiver, mais le père Le Jeune trouvait plus sage dans le cas présent de ne pas trop remuer les cendres.

C'était là une sage décision.

Dans cette guerre commerciale ponctuée par de nouveaux pactes, d'intrigues, de représailles, de tentatives d'intimidation, Trois-Rivières restait l'un des plus importants carrefours de la traite et sans aucun doute le plus fréquenté durant les mois d'été.

La Violette devait user de diplomatie avec les Indiens, écouter leurs doléances et s'efforcer de rester dans la neutralité. Un pari impossible. Même Champlain avait dû choisir le camp des Hurons contre celui des Iroquois.

À présent que leurs patrouilles iroquoises dressaient des embuscades sur les canaux du lac Saint-Pierre, qu'elles interceptaient les canots des Hurons et ceux des Algonquins et qu'elles confisquaient leur butin, La Violette se sentait coincé. Ce pillage risquait de compromettre tout le marché de la traite et même l'œuvre d'évangélisation des missionnaires.

*   *   *

Au-dessus du fort de Trois-Rivières, les mouettes planaient dans un corridor aérien alimenté par une bonne brise.

Juillet tirait à sa fin. En courts clapotis, le Saint-Laurent remuait paresseusement sa masse d'eau. Une vague courte et écumante battait les rivages.

Très loin encore, se détachait à l'horizon une flottille d'une douzaine de canots montés par de nombreux Indiens. Au fur et à mesure qu'elle s'approchait, La Violette reconnut le chef montagnais.

D'une puissante stature, l'œil sombre et perçant, Capitanal mit pied à terre dans la rade de Trois-Rivières. D'un pas majestueux, il se dirigea vers le fort suivi de plusieurs de ses hommes.

Fidèle allié des Français, Capitanal avait toujours respecté sa parole et ses engagements. Champlain l'aimait et le respectait. La Violette l'accueillit donc avec cordialité.

— Viens te restaurer, mon frère.

— Ton hospitalité réchauffe mon cœur. Je suis venu sonder le tien.

— Quel bon vent t'a mené à mon fort?

Le visage placide du chef montagnais s'illumina d'un sourire.

— Dans le malheur, où va un ami? Il va chez un ami pour obtenir son soutien et mesurer la force de son amitié.

— Tes énigmes ne me renseignent pas, dit La Violette. Entre dans mon fort. Assieds-toi à ma table. Parle-moi sans détour. Si tes jeunes gens ont faim, je leur ferai servir de quoi bien manger.

— Notre faim à tous n'est pas dans les aliments, dit Capitanal, mais dans la mort de nos ennemis.

— Je vois que plusieurs de tes hommes ont le visage peint aux couleurs de la guerre.

— Tu ne te trompes pas. Nous marchons sur les traces de tes ennemis et des miens.

— Et pourquoi les miens? Ai-je des ennemis que j'ignore?

— Si les Iroquois étaient devenus tes amis, j'aurais une piètre estime de toi.

— Ont-ils attaqué ton village, détruit tes biens?

— Non. Le village est bien gardé. Ce qu'ils m'ont pris t'appartient puisque mes hommes te l'apportaient.

La Violette devinait à mi-mots.

— Ils ont pillé l'un de tes convois?

— Et capturé plusieurs de mes jeunes gens. Alors, je dis: «Les esprits crient vengeance. Il faut les apaiser.»

— Et combien de peaux apportais-tu à mon fort?

— De pleins canots; des peaux empilées jusqu'au bord.

— Et qu'attends-tu de moi?

— Que tu marches avec moi contre nos ennemis communs. Si nous ne tardons pas à nous mettre en route, nous pouvons encore reprendre les fourrures.

— Et comment les retrouveras-tu?

— Mes éclaireurs m'ont signalé la présence des pillards dans une petite île du lac Saint-Pierre. Ils campent en attendant des renforts. Si Champlain, avec notre aide, ne met un terme à leurs incursions, bientôt tu ne seras plus en sécurité dans ton fort.

— Hum! Tu parles avec beaucoup de pessimisme, Capitanal. Crois-tu que nous soyons incapables de nous défendre?

— Tu es fort, mais tu ne peux soulever une montagne avec un seul doigt.

La Violette réfléchissait.

Le refus de soutenir le chef montagnais serait interprété comme une grave défection. D'autre part, récupérer un imposant stock de peaux, alors que la saison du troc — la présence des Iroquois dans les eaux du lac Saint-Pierre effrayait et chassait les fournisseurs — avait été désastreuse, poussait La Violette à passer à l'action.

Imperturbable, Capitanal attendait une réponse.

— Un chef ne doit pas être seulement un bon stratège et un bon guerrier. Il a des obligations. S'il ne prend les mesures nécessaires, il met en danger ses gens et les biens de la communauté. D'après toi qui le connaîs bien, que ferait Champlain à ma place ?

— Tu pourrais le lui demander, dit Capitanal, le ton sardonique. Mais quand tu reviendras de Québec, les oiseaux auront quitté leur nid.

— Laisse-moi un journée ou deux pour consulter mes gens.

— Ne tarde pas trop, autrement nous perdrons tout.

Capitanal déploya sa haute taille.

— J'attendrai ta réponse dans la rade où je camperai ce soir et demain.

— Et pourquoi pas ici dans mon fort ?

— Ta réponse me dira si les Français sont des amis.

* * *

La Violette sentait que Capitanal l'avait mis au pied du mur. Les pères Le Jeune et Buteux étaient aussi de cet avis.

Les Indiens avaient la mémoire longue; d'une susceptibilité chatouilleuse, ils n'oubliaient jamais un outrage. Dans les circonstances, une rebuffade pouvait avoir des conséquences désastreuses.

— Si vous refusez de soutenir Capitanal, il est certain qu'il fera tout en son pouvoir pour nous refuser son assistance en d'autres occasions, dit Le Jeune avec justesse.

— C'est exact, convint La Violette. Il a d'ailleurs un argument de poids avec le stock de fourrure volé qui nous était destiné, alors que nous sommes en deçà de notre quota saisonnier. Mes employeurs, les Cent Associés, approuveraient-ils que je reste à l'écart et que mon attitude hypothèque l'avenir?

— Je l'ignore, Monsieur La Violette. Je vous dirai: faites ce que vos intérêts vous commandent. Mais suis-je bon juge en la matière? Pouvez-vous confier la garde du fort à un suppléant?

La Violette regarda le père Le Jeune comme s'il eut été une bouée de sauvetage.

— À la rigueur, oui. Je pourrais prendre quelques hommes avec moi sans trop dégarnir nos positions. En mon absence, vous pourriez assurer ma relève pour quelques jours.

— Je ne suis pas militaire, Monsieur La Violette. Mais pour quelques jours, cela pourrait s'arranger.

— Pourquoi ne pas assortir votre soutien d'une exigence? dit le père Buteux.

— Qu'entendez-vous par là?

— Vous n'êtes pas sans connaître ma soif d'apostolat, Monsieur La Violette. Pour trouver des âmes à sauver, il me faut voyager et mieux connaître le terrain.

— Alors, que proposez-vous?

— En retour de votre soutien à Capitanal, demandez à ce dernier de me conduire dans le Haut-Saint-Maurice chez les Attikamègues.

— N'êtes-vous pas affecté à Trois-Rivières? demanda Le Jeune, intrigué par cette demande.

— Cela ne m'interdit pas de voyager. J'aimerais me familiariser avec leur habitat, leurs us et coutumes.

— Pour voyager, vous pourriez demander l'aide d'un interprète! conseilla La Violette.

— Ils sont déjà captifs de leurs tâches. Et je ne crois pas qu'ils soient de bons modèles de chrétiens, renchérit le père Buteux.

Forts de leur expérience dans plusieurs pays du monde, les jésuites pensaient que les païens, tels les Autochtones de l'Amérique du Nord, avaient intérêt à ne pas vivre dans la promiscuité des colons français qui transportaient et étalaient chez eux sans aucune pudeur tous les vices propres aux Européens. Au premier chef, les interprètes ne prêchaient pas par l'exemple et leur conduite personnelle n'était pas de nature à séduire les futurs néophytes.

Le père Le Jeune partageait l'avis de son collègue: «Dépourvus de tout luxe, les Sauvages commettent peu de péchés, mais ils changent rapidement au contact des Blancs» notait-il dans ses observations quotidiennes.

— Et combien de temps voulez-vous partir? s'enquit Le Jeune.

— J'aimerais vivre trois ou quatre mois chez les Attikamègues.

— Il en sera comme vous voudrez, soupira La Violette. Je ferai part de votre projet à Capitanal.

Après avoir exercé son apostolat durant dix-huit ans à Trois-Rivières et dans les missions du Saint-Maurice, le père Buteux connut une fin tragique en avril 1652. Il tomba sur une bande d'Iroquois qui le tuèrent, le dépouillèrent de tous ses vêtements et jetèrent son corps dans le Saint-Maurice.

* * *

La Violette quitta le fort de Trois-Rivières le lendemain, emmenant avec lui Isaac Conte et Pierre Drouot, deux bons tireurs.

La flottille comptait pas moins d'une quarantaine de guerriers. En cours de route, des Algonquins et des Népissingues rejoignirent la troupe de Capitanal, car ils avaient des comptes à régler avec les Iroquois. Avant l'attaque, ils tinrent un conseil général pour adopter une stratégie.

Assis au centre du canot propulsé par les bras vigoureux de ses recrues, La Violette se demandait s'il avait pris la bonne décision. Mais il était trop tard pour revenir en arrière. Il eut une brève pensée pour Champlain, l'homme de Brouage qui avait jeté les assises d'un futur empire sur les ruines de Stadaconé.

Les rameurs pagayaient avec une sorte de rage au corps, soulevant avec leur pagaie des petits tourbillons d'eau. La guerre était peut-être un jeu pour les Indiens, mais La Violette, militaire lui-même, trouvait coûteux ces affrontements entre belligérants. Combien de jeunes gens reviendraient vivants de cette expédition ?

Capitanal rangea son canot près de celui de La Violette.

— Les Français sont vraiment des amis, dit-il de sa voix rude. La prochaine fois que j'irai avec mes braves dans ton fort, je ferai honneur à ton festin.

— Tout l'honneur sera pour moi, répliqua La Violette, sur le même ton.

Il songea que, dans une guerre, il y avait des morts dans les deux camps et que beaucoup de braves à l'œil étincelant qui pagayaient dans le sillage du canot de tête verraient pour la dernière fois se lever le soleil...

Bibliographie

Encyclopédie Grolier, Grolier, édition 1947, p. 461.

Histoire du Canada, La vie des pionniers 1953, Les Frères des écoles chrétiennes, p. 48-49.